Chers amis rong
bienvenue dans le monde de

Geronimo Stilton

GERONIMO STILTON

TÉA STILTON

BENJAMIN STILTON

TRAQUENARD STILTON

PATTY SPRING

PANDORA WOZ

Texte de Geronimo Stilton.
*Basé sur une idée originale d'*Elisabetta Dami.
*Coordination des textes d'*Isabella Salmoirago.
Coordination éditoriale de Patrizia Puricelli.
*Édition d'*Alessandra Rossi.
Coordination artistique de Roberta Bianchi.
Assistance artistique de Lara Martinelli.
Couverture de Giuseppe Ferrario.
Illustrations intérieures de Lorenzo De Pretto *(dessins)*
avec la collaboration de Davide Corsi *(couleurs)*.
Cartes : Archives Piemme.
Graphisme de Yuko Egusa.
Traduction de Titi Plumederat.

www.geronimostilton.com

Pour l'édition originale :
© 2009, Edizioni Piemme S.p.A. – Via Tiziano, 32 – 20145 Milan, Italie
sous le titre *Il mistero della gondola di cristallo*.
International rights © Atlantyca S.p.A. – Via Leopardi, 8 – 20123 Milan,
Italie – www.atlantyca.com – contact : foreignrights@atlantyca.it
Pour l'édition française :
© 2012, Albin Michel Jeunesse – 22, rue Huyghens, 75014 Paris
www.albin-michel.fr
Loi 49-956 du 16 juillet 1949 sur les publications destinées à la jeunesse
Dépôt légal : premier semestre 2012
Numéro d'édition : 19350
ISBN-13 : 978 2 226 24051 4
Imprimé en France par Pollina s.a. en avril 2012 - L59875B

Geronimo Stilton

JEU DE PISTE
À VENISE

ALBIN MICHEL JEUNESSE

JE SUIS CLAQUÉ
DE CHEZ CLAQUÉ !

C'était une **CHAUDE** journée de la fin de l'été et je rentrais d'un voyage aux États-Unis où j'avais présenté mon dernier **BEST-SELLER**.

J'étais tellement fatigué que j'eus bien du mal à introduire la clef dans la serrure.

Je posai ma valise dans l'entrée et soupirai :

– Pfff, je suis CLAQUÉ de chez CLAQUÉ !

Tout ça, c'était à cause du décalage horaire… Vous ne savez pas ce que c'est, le DÉCALAGE HORAIRE ?

Je vais vous expliquer !

C'est ce qui nous épuise quand on voyage en avion et qu'on change de fuseau horaire. On est complètement déboussolé, un peu comme si on était plongé dans un grand mixeur ! Le jour, on a terriblement sommeil, on a la tête lourde, les

FUSEAUX HORAIRES

La Terre est divisée en vingt-quatre quartiers, appelés fuseaux horaires. Chaque quartier correspond à une heure. Lorsqu'on traverse les continents, il faut régler sa montre en avançant d'une heure pour chaque quartier franchi en direction de l'est, et en reculant d'une heure pour chaque quartier en direction de l'ouest. Ainsi, lorsqu'il est 20 heures à Londres, il est 15 heures à New York.

paupières qui s'abaissent, l'estomac retourné, les jambes flagada… et la nuit, pas moyen de trouver le sommeil. Bref, j'étais vraiment comme ça !

CLAQUÉ DE CHEZ CLAQUÉ !

C'est l'une des nombreuses raisons pour lesquelles je n'aime pas les voyages et qui font que les deux endroits que je préfère au monde sont mon **FAUTEUIL** à la maison et mon **BUREAU** !

Oh, à propos, excusez-moi, je ne me suis pas encore présenté ! Mon nom est Stilton, *Geronimo Stilton*, et je dirige *l'Écho du rongeur*, le journal le plus célèbre de l'île des Souris.

Bon, qu'est-ce que je vous racontais ?

Ah oui, je vous disais que… j'étais CLAQUÉ de chez CLAQUÉ !

C'est pourquoi, en ce fameux jour de la fin de l'été, dès que je fus rentré chez moi, je décidai de mettre en œuvre la CURE anti-décalage horaire : un bon bain chaud, mon pyjama, mes pantoufles, une triple tasse de camomille et… au dodo !

Je commençais à peine à me relaxer, quand le téléphone SONNA.

Je sortis de la baignoire en grommelant , je cherchai mon peignoir et m'aperçus qu'il n'était pas à sa place habituelle. J'attrapai au vol une serviette *(trop petite)* ❷ et je me dirigeai vers le salon, tout **dégoulinant** d'eau savonneuse… Le téléphone continuait de sonner, me PERFORANT le cerveau, et je hâtai le pas, mais j'avais

les pieds mouillés et je *dérapai*, tombant à la renverse ③. En me relevant, j'avais l'arrière-train douloureux, et je f *l* a n c *h* a *i* vers l'avant… Je me débattis pour garder mon équilibre, mais tombai sur le museau ④, et arrivai dans une glissade jusqu'au téléphone ⑤.

Je décrochai et murmurai :

_A-allô ?

UNE PROMENADE ROMANTIQUE ?

À l'autre bout du fil, une voix mélodieuse me répondit :

– Allô, G, c'est toi ? Je te dérange ?

C'était Patty, la rongeuse de mes rêves…

J'aurais voulu lui dire quelque chose de gentil, de romantique, d'inoubliable… Au lieu de cela, je rougis d'embarras (heureusement que je n'ai pas le vidéophone…), ma langue resta collée contre mon palais et je ne parvins qu'à marmonner des bribes de phrases dépourvues de sens.

– Oui et non, euh… enfin…

Euh...

je voulais dire... oui, c'est moi, Geronimo... mais pas toi, enfin tu ne... ne me déranges presque pas, ou plutôt...
Elle me demanda, SOUCIEUSE :
– Tu es sûr que tout va bien ?
J'effleurai la bosse que j'avais sur le crâne, puis jetai un coup d'œil à ma queue toute cabossée et répondis d'un ton plaintif :
– Euh, en fait non... je ne me sens pas bien du tout : c'est le DÉCALAGE HORAIRE... j'ai la queue cabossée et un MAL DE TÊTE atroce !
Elle garda le silence un instant, puis poursuivit doucement :
– Oh, dommage, je voulais t'inviter à...
Je la coupai :
– O.K., j'arrive ! Je me sens déjà beaucoup mieux, tout est passé d'un coup. Ne t'inquiète pas !
Patty s'exclama, enthousiaste :
– Alors je viens te chercher dans dix minutes !
Et elle raccrocha.

Évidemment, rien n'était passé du tout… J'étais encore complètement CLAQUÉ de chez CLAQUÉ ! Mais je décidai de faire comme si de rien n'était… J'étais trop **content** : Patty m'avait invité à sortir avec elle ! J'avais le cœur qui **BATTAIT** à cent à la minute et je me mis à sautiller dans toute la pièce, en hurlant :

_Hourra !

Puis, soudain, je me rendis compte que je n'avais pas demandé à quoi elle voulait m'inviter…

Ainsi donc… j'avais un problème :
comment m'habiller ?

 Élégant, raffiné,
charmeur ?

B Sportif-casual,
genre acteur au
regard irrésistible ?

C Normal, comme tous
les jours… comme
ça, on ne peut pas
se tromper ?

Dans l'incertitude, je me mis à essayer tous mes vêtements, testant diverses possibilités et **COMBINAISONS**… mais rien n'allait !

C'est à ce moment que retentit la sonnette :

Ding dong !

Tout ému, je me précipitai pour aller ouvrir, sans me soucier de la façon dont j'étais habillé…

Chemise de danseur de flamenco

Veste verte de tous les jours

Bermuda

Pantoufles

DING... DONG !

GER CHARMEUR

GER ÉBAHI

GER POISSON BOUILLI

GER NIGAUD

J'ouvris la porte, arborant un **SOURIRE** ensorceleur, mais, en quelques secondes, je passai de l'expression charmeuse à l'expression *ébahie*... puis à l'expression d'un POISSON BOUILLI et, enfin, à celle d'un rat **NIGAUD** ! Vous voulez savoir pourquoi ?

Je vais vous l'expliquer tout de suite :
j'avais à peine ouvert la porte que je
découvris que Patty n'était pas seule…
elle était venue avec ma sœur Téa et sa
nièce Pandora.

**ADIEU, PROMENADE ROMANTIQUE
ET PETIT DÎNER AUX CHANDELLES !**

GER DÉÇU

Puis Pandora me regarda et s'exclama :
– Oncle G, tu vas à un bal **masqué** ?
C'est alors seulement que je me souvins que j'étais
habillé comme un *CLOWN* et je rougis de
honte ! Je voulus en rire :
– Ha, ha, je voulais vous faire une farce… Je voulais voir si vous vous en apercevriez. Maintenant,
je vais me changer…
Mais Téa m'attrapa par la manche et me **TIRA**
hors de la maison.
– Non, Ger, nous n'avons pas le temps ! Les pre-
miers arrivés font les meilleures affaires…

Patty ajouta :

– Elle a raison, G ! Les meilleurs articles ont vite fait de *DISPARAÎTRE*...

Je voulus protester, mais elles me poussèrent dans la voiture de *SPORT* de Téa, en criant :

– Vite, nous n'avons pas de temps à perdre, il faut y aller !

– Puis-je savoir où nous allons ? demandai-je.

Toutes trois s'écrièrent en chœur :

– ON VA FAIRE DU SHOPPING !

Vive le shopping !

Alors mon humeur **DESCENDIT** plus bas que mes talons : j'allais subir un après-midi de shopping sauvage avec trois rongeuses déchaînées !

Pourquoi pourquoi pourquoi n'étais-je pas resté à la maison ?

Pendant que je pensais à tout cela, la voiture de Téa freina et Pandora me hurla dans une oreille :

– Oncle G, nous sommes arrivés !

Nous étions au **marché aux puces** de Sourisia, qui n'est pas l'endroit où l'on trouve des puces de toutes sortes, mais le marché où l'on vend des **CURIOSITÉS**, des **ANTIQUAILLES**, des **FRIPES** *(et là, en effet, on trouve parfois des puces !).*

Un cadeau-surprise !

Pandora, Téa et Patty, pleines d'*enthousiasme*, commencèrent à circuler entre les étalages, tandis que je les suivais, ennuyé.

Pourquoi pourquoi pourquoi n'étais-je pas resté à la maison ?

Je *ne supporte pas* le shopping, je *ne supporte pas* les antiquailles et, surtout, je *ne supporte pas* les puces ! En plus, tous ceux qui me croisaient ricanaient en voyant mon accoutrement...

– Ouh, quelle souris **RIDICULE** !

– C'est vraiment un gars, *ou plutôt un rat*, **BIZARRE** !

– Bah, moi, je crois que c'est simplement un **nigaud** !

Pauvre de moi, je faisais piètre figure !

Pourquoi pourquoi pourquoi n'étais-je pas resté à la maison ?

Rouge de honte, je mis sur ma tête un **CHA-PEAU** que je trouvai sur un étalage, me l'enfonçai jusqu'aux yeux, en espérant que personne ne me reconnaîtrait, mais, aussitôt, une vieille rongeuse hurla, scandalisée :

– Mais n'êtes-vous pas Stilton, *Geronimo Stilton*, le célèbre écrivain ?

Je niai l'évidence :

– Non, madame, vous vous **TROMPEZ**, je ne suis pas Stilton, je suis un sosie, c'est-à-dire… je lui ressemble beaucoup, mais…

Elle prit son parapluie et m'en donna un coup sur la tête.

Ne vous moquez pas de moi !

– Comment osez-vous vous moquer de moi ? Je vous reconnais parfaitement ! Vous êtes bel et bien Geronimo Stilton !

Tandis qu'elle continuait à me donner des coups de parapluie sur la tête, j'essayai de la calmer en inventant une excuse :

– Arrêtez… *aïe*… je suis… *aïe*… ici… *aïe*… incognito, *c'est-à-dire* je ne veux pas qu'on me reconnaisse… *aïe*… **j'enquête…** *aïe !*

Enfin, elle arrêta de me frapper, je la saluai avec un baisepatte et lui recommandai de ne rien dire à personne. Puis, pour être certain qu'elle me laisserait tranquille, je me mis à examiner avec attention les marchandises du premier étalage que je vis. C'était une boutique qui vendait… des gondoles de cristal. J'en pris une et commençai à la tourner et à la retourner dans tous les sens, cherchant à prendre une expression intéressée. Quand je fus sûr que la terrible petite vieille s'était éloignée, je reposai la gondole en soupirant.

C'était un soupir de soulagement, évidemment, parce que la gondole était vraiment de très mauvais goût, ou plutôt d'un goût **EXÉCRABLE** !

Elle était en cristal, avec des pierreries colorées et de faux diamants collés sur la poupe. Si l'on frappait dans ses pattes, des **LUMIÈRES** clignotantes s'allumaient et une stupide *chansonnette* romantique se déclenchait :

Viens à Venise et tu trouveras l'amour...

Venise restera dans ton cœur toujours...

Viens à Venise et tu trouveras l'amour...

Venise restera dans ton cœur toujours...

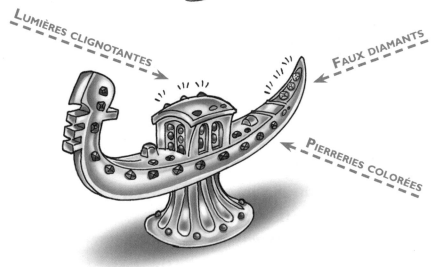

Mais je ne m'étais pas aperçu que Patty avait **OBSERVÉ** la scène...

Aussi, lorsque, à la fin de ce terrible après-midi passé au milieu des stands, Patty s'approcha en me tendant un **PAQUET**, je ne soupçonnai rien.

– C'est pour toi, G ! Pour me faire pardonner de t'avoir entraîné dans un après-midi de shopping ! Puis elle me donna un **bisou** sur la pointe des moustaches.

J'ouvris le paquet avec soin et découvris à l'intérieur... **LA GONDOLE EXÉCRABLE !**

Patty sourit.

– Je ne sais pas comment tu peux aimer cela, mais tous les goûts sont dans la nature !

Je n'eus pas le courage de lui dire que c'était un malentendu et que cette gondole exécrable ne me plaisait pas du tout...

Je murmurai, *rougissant* jusqu'aux oreilles :

– Merci, quelle attention délicate !

C'est pour toi, G !

Merci !

Un mystérieux appel au secours

Nous rentrâmes enfin à la maison, chacun chargé de ses paquets plus ou moins gros... Quant à moi, je tenais ma gondole de cristal, qui ne cessait de CLIGNOTER et de chantonner... Même si je la regardais désormais d'un œil différent, parce que c'était un cadeau de Patty, elle était vraiment **EXÉCRABLE** !

Quelle honte : dans la rue, tout le monde me lorgnait !

Je poussai un soupir de soulagement en entrant chez moi.

Je commençai par me débarrasser de ces vêtements RIDICULES et enfilai mes habits de tous les jours, puis je commençai à chercher un endroit où ranger ma gondole : c'était un cadeau de Patty, je ne pouvais bien sûr pas le cacher dans un tiroir, sous le lit ou au fond d'une armoire.

Il fallait que je le place bien en vue, et je me mis à tourner dans la maison à la recherche de l'endroit idéal...

Hum... sur la cheminée ?

Non, ça ne va pas...

Sur la **TABLE BASSE** du salon ?

Non, ça jure avec la tapisserie...

Sur la table de chevet ?

Non, si la *chansonnette* se met à jouer, je ne pourrai pas dormir...

C'est alors qu'on sonna à la porte. Je me précipitai, mais la porte s'ouvrit en grand, mon cousin Traquenard entra en trombe en me BOUSCULANT et la gondole de cristal tomba à terre et se brisa en mille morceaux !

J'essayai de recoller les morceaux, mais j'avais les larmes aux yeux : cette gondole de cristal était peut-être **EXÉCRABLE**, mais... c'était un cadeau de Patty !

– Traquenard, tu n'as rien de mieux à faire que de venir chez moi **DÉTRUIRE** les cadeaux de ma euh... *(presque)* fiancée ?

– Justement, pourquoi tu t'en fais ? Patty n'est pas *encore* ta fiancée.

– Elle ne l'est peut-être pas encore, mais c'est *(presque)* comme si elle l'était. Aujourd'hui, elle m'a même fait un cadeau… celui que **TU** as détruit ! À mon avis, je pouvais avoir de l'espoir… mais maintenant… qu'est-ce que je vais lui dire : que j'ai cassé son cadeau ? Elle sera fâchée et ne voudra plus jamais devenir ma fiancée ! Et tout ça par ta faute !

Il répondit en **ricanant** :

– Tu devrais plutôt me remercier, cousin ! D'après ce qu'il en reste, on voit très bien qu'il était **EXÉCRABLE**, ce cadeau !

Il n'avait pas tort, mais je ne dis rien et continuai à ramasser les **morceaux**, espérant pouvoir les recoller, même si cela s'annonçait très difficile.

Il était exécrable !

Je m'aperçus à ce moment-là qu'un petit **rou-leau** de papier avait été glissé à l'intérieur de la gondole. Je le déroulai et lus ces quelques mots :

C'était un appel au secours. Il fallait que je fasse quelque chose, et **VITE** !

– Lis ça, Traquenard ! Quelqu'un est en **danger**. On dirait que c'est une jeune fille en difficulté !

Il ricana :

– Tu ne changeras jamais, cousin !

Je crois que tu lis trop de romans d'aventures, tu vois des *jeunes filles* à sauver un peu partout...

Je vais aller raconter ça à ta *presque* fiancée !
Geronimou joue au chevalier héroïque !
Geronimou joue au chevalier héroïque !
Geronimou joue au chevalier héroïque !
Puis il partit en **COURANT**, pour aller tout raconter
à Patty…

DESTINATION : VENISE !

Je n'eus pas le temps d'arrêter Traquenard ! Savoir ce qu'il allait raconter à Patty ?…

J'avais probablement perdu tout espoir que ma *(presque)* fiancée devienne ma *vraie* fiancée !

Mais si, quelque part, il y avait quelqu'un qui m'appelait **AU SECOURS**, je ne pouvais pas me dérober : je devais agir, et tant pis si tout le monde devait rire de moi, tant pis si je devais me disputer avec ma *(presque)* fiancée !

Je soupirai et examinai très attentivement ce **mystérieux** papier.

– Hum… savoir depuis combien de temps il est caché dans cette gondole ? Et si c'était une plaisanterie ou une trouvaille publicitaire…

Mais l'écriture avait l'air d'être féminine : le point sur le « I » était en forme de cœur ! Et la tache qui avait effacé ce qui était écrit à la suite du « É » avait bien l'air d'être une larme… En plus, le papier était parfumé.

Je remarquai alors une étiquette couleur ivoire attachée par un cordonnet à ce qui restait de l'EXÉCRABLE gondole de cristal.

C'était un certificat de garantie sur lequel il était inscrit : « *Authentique cristal de Murano* ».

La gondole avait donc été fabriquée en ITALIE, sur l'île de Murano, dans la splendide lagune de Venise !

Deux heures plus tard, j'étais à l'aéroport, prêt à monter à bord du premier vol pour Venise.

Je n'avais rien dit à personne.

D'ailleurs, qu'aurais-je pu dire ?

Que je partais pour élucider **LE MYSTÈRE DE LA GONDOLE DE CRISTAL** ?

Que j'allais sauver une jeune fille qui avait peut-être besoin d'aide ?

C'était tout simplement absurde : tout le monde se serait moqué de moi…

Je ne vous raconterai pas le **VOYAGE**, parce que je ne m'en souviens pas : à peine assis dans l'avion, je m'endormis.

Je ne me réveillai qu'au moment où l'avion se posa à Venise, lorsqu'une voix à côté de moi chicota :

Debout, mon beau petit biquet... nous sommes arrivés !

J'ouvris les yeux et m'aperçus que j'avais dormi avec la tête appuyée sur l'épaule d'une rongeuse **inconnue** !

Je bondis sur mes pattes, rougissant de honte.

– Ex-excusez-moi, c'est la faute du décalage horaire !

Elle me sourit en écarquillant ses grands yeux *(très maquillés)*, aux paupières **FARDÉES** *(en rose)* et aux longs **cils** *(faux)*.

– Ne t'inquiète pas, ce fut un plaisir, que dirais-tu d'ailleurs si nous visitions Venise ensemble, **mon beau petit biquet ?**

Je devins rouge jusqu'à la pointe des moustaches.

– Non, je suis désolé, je ne peux vraiment pas, j'ai plein de choses à faire…

– Tu as plein de choses à faire ? Alors tu n'es pas venu pour le tourisme ? C'est merveilleux, alors tu es de Venise… Ah, comme c'est romantique !

Je savais bien que, ici à Venise, je rencontrerais le rongeur de ma vie !

Je m'enfuis en criant :

– **Non, je ne suis pas de Venise, mademoiselle !**

C'est un malentendu, je ne voulais pas… Et puis je suis *(presque)* fiancé…

Elle me suivit, mais je fus plus rapide et m'échappai en me fondant dans la foule.

Mais lorsque j'arrivai à la station de vaporettos, elle était déjà là. Comment avait-elle fait ?

J'esquissai un rapide demi-tour, mais elle me vit et hurla :

– Pourquoi **FUIS**-tu ? Pourquoi m'abandonnes-tu, mon doux biquet vénitien ?

Je m'échappai en criant :

– Non, je ne suis pas de Venise, mademoiselle !

Tous les rongeurs qui attendaient le prochain vaporetto me regardèrent d'un air mauvais. Et tout le monde commentait à voix haute :

– Quel rongeur SANS CŒUR ! Abandonner sa fiancée comme ça !

– On voit que ce n'est pas un vrai *noblerat* !

J'aurais voulu me défendre, car je tiens beaucoup
à ma réputation de véritable noblerat, mais j'avais
une mission à accomplir : élucider **LE MYS-
TÈRE DE LA GONDOLE DE CRISTAL** !

Je ne pouvais vraiment pas prendre le risque d'être
coincé avec cette rongeuse **COLLANTE** et je m'enfuis à toutes pattes !

UNE RONGEUSE
TROP COLLANTE...

Je mis mes lunettes noires, me précipitai au départ
des canaux à moteur et sautai dans
le premier que je trouvai libre. Le
pilote, un type aux **MUSCLES**
d'acier et aux **MOUSTACHES**
impertinentes, me demanda :
– Où souhaitez-vous aller, monsieur ?
Je criai :
– Où vous voulez, pourvu que ce soit **LOIN** d'ici !
Il partit en flèche en direction de la ville. C'est seulement quand nous fûmes vraiment loin de cette
rongeuse collante que je me retournai pour admirer le Grand Canal.

Le Grand Canal

D'une longueur totale de 3,8 km, le Grand Canal est le principal canal de Venise et partage le centre historique en deux. C'est le long de ce canal que se trouvent les plus magnifiques palais, bâtis entre le XIIe et le XVIIIe siècle.

C'est également l'endroit où, chaque année, les Vénitiens font revivre des traditions séculaires, comme la Régate historique.

Quel spectacle assourissant !

Mais, une seconde plus tard, nous fûmes approchés par un vaporetto bourré de touristes qui prenaient des photographies. Parmi les passagers, je reconnus un chapeau à pois fuchsia, avec de gracieuses petites fleurs vertes… *C'ÉTAIT ELLE, LA RONGEUSE DE MES CAUCHEMARS !*

Pour me cacher, je demandai au chauffeur de me vendre son CHAPEAU, mais il flaira aussitôt la bonne affaire et ricana :

– Hum… vous avez besoin de mon chapeau ? Vous en avez vraiment besoin ?

– Oui, j'en ai besoin ! Alors, vous me le vendez ?

– Ça dépend… combien êtes-vous prêt à le payer ? Je lui donnai **TOUT** ce que j'avais dans mon porte-feuille, mais il réclama également ma montre en or !

Enfin, je pus mettre le chapeau, mais mon admiratrice me reconnut quand même et hurla :

– Mon biquet, pourquoi me fuis-tu ? Reviens-moiii !

Venise

Venise est une ville unique au monde, parce qu'elle est entiè-rement construite sur l'eau. Elle s'étend sur environ 120 îlots séparés par d'innombrables canaux et reliés entre eux par plus de 400 ponts. La lagune comprend aussi les îles plus éloignées de Murano, Burano, le Lido, Pellestrina et de vastes zones sur la terre ferme.

Venise est l'une des plus fascinantes villes du monde, qui attire depuis toujours des milliers de touristes. Sur la lagune se reflètent des clochers, des églises riches d'œuvres d'art, d'anciens palais aux façades finement décorées, des maisons aux mysté-rieuses cours. À l'intérieur, la ville est un labyrinthe de calli (c'est-à-dire de rues), de campielli (c'est-à-dire de petites places) et de sotoporteghi (c'est-à-dire de petits passages couverts), qui la rendent encore plus mystérieuse.

À Venise, on ne peut pas circuler en autobus ou en automobile, mais on se déplace en vaporettos, en canots à moteur (plus petits et plus rapides) et en gondoles, les typiques bateaux vénitiens.

AU SECOURS,
JE ME NOIE !

Une seconde plus tard, le pilote m'attrapait par la queue et me **JETAIT** dans le Grand Canal.

– Ça vous apprendra à maltraiter les dames, *ESPÈCE DE GOUJAT* !

Je couinai :

– Mais laissez-moi vous expliquer ! C'est un horrible **MALENTENDU** !

Sur le pont du vaporetto, la rongeuse cria :

– Sauvez-le, je ne veux pas qu'il se **noie**, je dois l'épouser !

Quelqu'un me lança une bouée de sauvetage en liège qui atterrit pile sur mon crâne – ça fait mal ! Tu parles d'un **SAUVETAGE** ! À mon avis, il l'avait fait exprès.

Et en effet, quelqu'un cria sur le vaporetto :

– Les gens dans ton genre, qui n'ont pas de respect pour les dames, ils mériteraient qu'on les laisse COULER !

Je n'avais pas le choix : je plongeai. Je nageai sous l'eau, en retenant mon souffle jusqu'à ce que j'atteigne un canal secondaire qui sentait le poisson pourri !

BEURK, QUELLE HORRIBLE PUANTEUR !

Puis je restai caché au milieu des gondoles jusqu'au soir, pour être certain que mon admiratrice inconnue et collante se soit suffisamment éloignée.

Le pont des Soupirs

Ce pont fut construit au début du XVIIe siècle sur les plans de l'architecte Antonio Contino di Bernardino. Il relie le palais des Doges aux Nouvelles Prisons. Le mot « soupir » fait allusion aux soupirs des condamnés qui le parcouraient avant d'atteindre les prisons.

Tandis que j'étais plongé dans cette eau sale et puant le poisson pourri, je me mis à sangloter et à soupirer :

– **BOUUUH!** **SNIFF !** **OUIN!**

Pauvre de moi…

Soudain, une voix hurla :

– Vous entendez ? Il y a quelqu'un qui soupire…

– Évidemment, c'est le pont des Soupirs !

– Des soupirs… On dirait plutôt des pleurs **DÉSESPÉRÉS** ! Qu'est-ce que ça peut être ?

– **C'EST PEUT-ÊTRE UN FANTÔME?**

Ce fut une débandade générale et j'en profitai pour sortir de l'eau. Avec tout ce remue-ménage, je n'avais pas encore commencé mes recherches pour élucider

LE MYSTÈRE DE LA GONDOLE DE CRISTAL.

Je décidai de prendre mon courage à deux pattes et de débuter mon enquête sans tarder, même si j'étais épuisé, trempé, **TRANSI** de froid et que je sentais le poisson pourri ! D'ailleurs, un nuage de moucherons commença aussitôt à tournoyer autour de moi.

Je m'enfonçai dans les rues désormais presque désertes de Venise : à vrai dire, là-bas, on ne les appelle pas des rues, mais des *calli*, des *sotoporteghi* ou des *salizade*...

Quelle ville *fascinante* et **romantique**... j'avais l'impression de marcher dans un film ! Mais peut-être aussi m'étais-je trompé de film ?...

Peut-être était-ce un film d'HORREUR, où c'était moi qui jouais le rôle du **MONSTRE DE LA LAGUNE** !

De fait, on venait de me prendre pour un fantôme :

je PUAIS le poisson pourri, j'étais entouré d'un nuage de moucherons et les rares touristes qui passaient dans les rues s'écartaient de moi, dégoûtés par mon odeur ! Tandis que je réfléchissais à tout cela, j'arrivai sur la place Saint-Marc. Je passai un long moment le museau en l'air, à admirer les anciens palais, la merveilleuse basilique aux quatre coupoles, les chevaux de bronze, le haut campanile...

Mais, soudain, des pigeons taquins se mirent à voler autour de moi et me bombardèrent de fientes !

PAUVRE DE MOI !

Zou ! Zou !

Basilique Saint-Marc

La basilique Saint-Marc est le monument le plus important de la ville, la cathédrale du patriarche de Venise.

La construction de la basilique actuelle débuta en 1063, sur d'anciennes fondations préexistantes. Elle est décorée de splendides mosaïques qui racontent la vie de saint Marc et des épisodes de l'Ancien et du Nouveau Testament.

AU SECOURS, LE MONSTRE DE LA LAGUNE !!!

Il fallait absolument que je me lave, que je **mange** un morceau et que je commence au plus vite mes recherches pour élucider **LE MYSTÈRE DE LA GONDOLE DE CRISTAL**.

Heureusement, il y avait encore un café ouvert sur la place. J'allais m'asseoir à l'une des *élégantes* petites tables à l'extérieur, lorsque je reconnus un chapeau à pois fuchsia, avec de gracieuses petites fleurs vertes…

C'ÉTAIT ELLE, LA RONGEUSE DE MES CAUCHEMARS !

Elle cria :

Ooooh!

La rongeuse assise en face d'elle cria :

Iiiih!

Le serveur cria :

Ouuuuuuh!

Puis il y eut un bruit de verre cassé, le tintement de précieux cristaux en mille morceaux, le brouhaha de pièces d'argenteric ct dc plats renversés... et tout le monde s'enfuit en poussant des cris de terreur :

AAAAAH! LE MONSTRE DE LA LAGUNE !!!

Je regardai autour de moi, je jetai un coup d'œil dans mon dos, mais je ne vis aucun monstre de la lagune.

 Mais de quoi pouvaient-ils bien parler ?

Peut-être avaient-ils eu des hallucinations ?

J'entrai dans le café désormais désert, admirai les décorations dorées, le velours rouge, et me dirigeai vers les TOILETTES pour me laver un peu. J'ouvris la porte, qui émit un grincement sinistre… j'entrai dans les toilettes… et je vis un être MONS-TRUEUX, couvert d'algues et de fientes de pigeons, dégouttant d'un liquide visqueux, et je m'écriai moi aussi :

AU SECOURS, LE MONSTRE DE LA LAGUNE !!!

Mais je me rendis aussitôt compte que je me trouvais devant un grand miroir et que... *LE MONSTRE DE LA LAGUNE, C'ÉTAIT MOI !*

Je refermai la porte à clef et commençai à me nettoyer : je me LAVAI de la tête aux pieds **1** et je me séchai grâce au sèche-mains à air chaud **2**. Puis je me parfumai avec les petites serviettes à l'eau de Cologne que le café offrait à sa clientèle. Je me coiffai avec une fourchette **3**, je pris un bouton de rose dans la composition florale qui décorait les toilettes **4** et je le glissai pour finir derrière mon oreille.

Alors, satisfait, je pus SOURIRE.

Ainsi nettoyé, je pouvais reprendre mes recherches pour élucider **LE MYSTÈRE DE LA GON-DOLE DE CRISTAL**.

Je sortis des toilettes en sifflotant et m'assis à une table du café. Au bout d'un moment, un garçon arriva et m'interrogea d'une voix tremblotante :

– *Q-q-que d-d-désirez-vous ?*

– Vous ne vous sentez pas bien ? demandai-je.

Il répondit en tremblant :

– E-e-excusez-moi, je viens d'avoir une terrible **frayeur** !

Puis il s'approcha et me murmura à l'oreille :

– Vous savez, j'ai vu le monstre de la lagune...

Pour le tranquilliser, je dis :

– Ne vous inquiétez pas, il ne reviendra plus… Je lui ai réglé son compte !

Il me regarda, admiratif, et partit en courant. Une seconde plus tard, il revint avec un verre de sirop de cancoillotte Extrapue de 1982 !

Puis il s'inclina et déclara d'un ton obséquieux :

– Cadeau de la maison ! Pour avoir mis en FUITE cet horrible monstre.

Je répondis :

– Mais je n'ai rien fait, en vérité…

Il me coupa :

– HÉROÏQUE et pourtant MODESTE !

Après cela, je n'osai plus lui dire que c'était un malentendu et que… le monstre de la lagune, c'était moi !

En sortant du café, je fus assailli par un petit groupe de rongeuses ENTHOUSIASTES qui voulaient des autographes et criaient :

– C'est le héros qui a mis le monstre en fuite !

Soudain, je vis apparaître un chapeau à pois fuchsia avec de gracieuses petites fleurs vertes…

C'ÉTAIT ELLE, LA RONGEUSE DE MES CAUCHEMARS !

Je m'échappai comme une fusée avant qu'elle n'ait pu me repérer, j'entrai dans le premier hôtel que je trouvai (hélas, c'était le plus luxueux de Venise !) et demandai une chambre. Ils n'en avaient qu'une seule de libre, la **suite impériale**, qui était aussi chère qu'une année de vacances sur la côte de Sourisia !

LA BOUTIQUE
DE SOUFFLERT DEVERRE

Quand je refermai la porte de ma chambre, enfin, je pus me relaxer… J'étais hors de danger !
Je me jetai tout habillé sur le lit et sombrai dans un profond sommeil.
Le lendemain matin, je pris le premier vaporetto pour Murano : cette île est célèbre pour ses boutiques, où l'on crée des objets de VERRE et de *cristal* renommés dans le monde entier… même à Sourisia !
Je commençai par visiter toutes les fabriques de verre, examiner les vitrines une à une. Elles étaient remplies d'objets de verre COLORÉ : petits chiens, petits poissons, petits chevaux, gracieuses familles de poulpes, mais… pas de gondole !

Découragé, je m'assis sur les marches d'un pont : cela faisait des heures que je marchais, mais je n'avais encore rien découvert qui m'aide à élucider

LE MYSTÈRE DE LA GONDOLE DE CRISTAL…

C'est alors qu'un gamin à l'air rusé s'approcha de moi.

– Bonjour, monsieur ! Je suis Lello, puis-je vous aider ?

– Je ne crois pas… Je cherche une gondole de cristal avec des lumières clignotantes et une petite musique casse-tympan… quelque chose d'**EXÉCRABLE**…
Il éclata de rire :

– C'est mon oncle qui les fabrique, mais personne ne lui en achète plus. Il en fait de toutes sortes, elles sont plus épouvantables les unes que les autres ! La dernière fois qu'il en a vendu, c'était il y a

ELLE DÉGAGE UNE ODEUR ATROCE !

ELLE CASSE LA MINE DE TOUS LES CRAYONS !

ELLE A UNE SONNERIE TRÈS AGAÇANTE !

LA RADIO N'EST JAMAIS RÉGLÉE !

ELLE N'INDIQUE QUE LA PLUIE !

plus d'un mois, à un rongeur de Sourisia qui tient une échoppe au marché aux puces...

Je compris aussitôt qu'il s'agissait du stand où Patty m'avait acheté la gondole et je lui demandai de m'accompagner chez son oncle.

Lello me prévint :

– S'il vous plaît, ne lui dites pas que ces gondoles de cristal sont **EXÉCRABLES** : ça le mettrait très en colère ! **Il a très mauvais caractère !**

Puis il me prit par la patte et me conduisit jusqu'à la porte d'une boutique délabrée, dont la vitrine était pleine de... gondoles de cristal, toutes plus laides les unes que les autres !

Un instant plus tard, une grosse patte **POILUE** m'attrapait par l'oreille et me tirait à l'intérieur du magasin, tandis qu'une voix menaçante hurlait :

– Tu es ici pour la place d'**apprenti** ?

Je demandai, surpris :

– Quelle place, quel apprenti ?

Soufflert Deverre – car tel était son nom – me prit

par le museau et me le mit à un millimètre d'un panonceau, en tonnant, MENAÇANT :

– Parce que tu n'es pas là pour ça ?

C'est alors seulement que je remarquai ce qui était écrit :

ON RECHERCHE
UN APPRENTI

POUR TRAVAILLER BEAUCOUP, ÊTRE PEU
PAYÉ ET NE JAMAIS SE PLAINDRE…

C'était l'occasion ou jamais d'enquêter sans être découvert, et je **murmurai** donc :

– É-évidemment, j-je suis ici p-pour ça, mais…

– Il n'y a pas de mais ! Tu es engagé.

– Mais je voulais…

– Tu es à peine engagé que tu te plains déjà ?

– Non, je euh… je voulais seulement vous remercier !

Je voulais lui dire que je ne savais pas travailler le

verre, mais il retira son **tablier**, me le mit au cou et tonna de plus belle :

– Pour demain matin, je veux **50** gondoles de cristal !

Puis il sortit en claquant la porte.

Je regardai autour de moi, **perdu**. Je remarquai alors ici et là des coupes, des médailles souvenirs et une photo de quatre gondoliers portant un maillot sponsorisé par les Verreries Deverre. **BIZARRE !** Peut-être était-ce un passionné de course de gondoles ? Peu après, la porte s'ouvrit et mon jeune ami Lello entra.

– Il t'a engagé ? Félicitations… mais ne rêve pas trop, il ne lui faudra pas deux heures pour te mettre à la porte !

– Il lui en faudra moins, je le crains… Je ne sais pas travailler le verre !

– Pas de problème, je vais t'aider !

Le travail du verre

Aujourd'hui encore, les artisans utilisent le soufflage pour donner forme au verre. Ils plongent l'extrémité d'une canne en métal dans du verre en fusion et soufflent à l'autre extrémité. Le verre se gonfle et peut être modelé tant qu'il est «tendre». L'utilisation de pinces pour modeler la pâte de verre en fusion est une autre technique.

DES PLEURS
DANS LA NUIT...

Lello m'apprit à prendre la pâte de verre, à la modeler et à la mettre au four...

Il me semblait avoir tout compris, mais dès que j'essayai de mettre ses conseils en pratique, ce fut le début des *PROBLÈMES* !

Je me brûlai la queue...

Je me roussis
les moustaches...

Je m'enfumai le museau...

Je me **ROUSSIS** les moustaches...

Je me **BRÛLAI** la queue...

Je m'**ENFUMAI** le museau...

Et quand je parvins enfin à modeler quelque chose qui ressemblait à une gondole, mes œuvres explosèrent les unes après les autres...

Ou bien elles s'**AVACHIRENT** comme des soufflés ratés...

Un vrai désastre !

Un vrai désaaaaaaaaaaaaaaaaaaaaaaaaaaaaaastre !

Mes œuvres explosèrent les unes après les autres...

Ou bien elles s'avachirent comme des soufflés ratés...

À la fin, au milieu de l'atelier trônait une masse informe de verre **FONDU**, qui ne ressemblait pas du tout à une gondole...

Les moustaches **vibrant** à cause du stress, je me mis à sangloter :

– Pauvre de moi ! Quand Soufflert va voir ça, demain, il me réduira en bouillie, il me **HACHERA** menu, il me pulvérisera, et cette horrible masse de verre deviendra mon monument funéraire, comme ça, je serai obligé de la regarder pour l'éternité !

Pauvre de moi !

Je n'exagérai pas : Soufflert Deverre était baraqué comme une armoire à glace, il avait des pattes larges comme des bêches et, hélas, **il avait très mauvais caractère !**

En proie à la panique, je continuai à sangloter :
– Pourquoi pourquoi pourquoi ne suis-je pas resté chez moi ?

POURQUOI POURQUOI POURQUOI EST-CE QUE JE ME FOURRE TOUJOURS DANS LES ENNUIS ?

C'est alors que, entre deux sanglots, j'entendis quelqu'un d'autre pleurer… Qui cela pouvait-il bien être ? Peut-être un *FANTÔME* ? J'avais si peur que j'en avais les moustaches qui se tortillaient, mais je décidai que je devais en savoir plus !

Je veux rentrer à la maisooon !

Il me sembla que ces **sanglots** provenaient de quelque part au-dessus de moi... Peut-être y avait-il une pièce secrète? À force de fouiner partout, je finis par tomber sur une petite PORTE. Je l'ouvris et découvris un escalier noir qui conduisait à l'étage supérieur. Je pris une torche électrique et commençai à gravir les marches de bois, qui grinçaient sinistrement.

Sgniiik... Sgniiik...

Cependant, les sanglots continuaient, lugubres :

-SNIF! OUIN! SNIF!

Au sommet de l'escalier, je tombai sur une nouvelle porte, l'ouvris et entendis un hurlement terrible...

_AU SECOURS, LE MONSTRE DE LA LAGUNE !!!

Je protestai :

– Pfff, je ne suis pas le monstre de la lagune ! J'en ai assez de cette histoire !

Puis le faisceau de ma lampe **ÉCLAIRA** une silhouette spectrale vêtue de blanc qui sanglotait et, à mon tour, je hurlai :

_AAAAH, UN FANTÔME !!!

Heureusement, je me calmai aussitôt et me rendis compte que… il n'y avait aucun fantôme ! Ce n'était qu'une *jeune fille* en chemise de nuit, qui me regardait avec de grands yeux effrayés et voilés par les larmes… J'abaissai la lampe, dont le faisceau l'avait peut-être apeurée, lui tendis mon mouchoir et lui parlai doucement :

– N'aie pas peur, je suis ici pour t'aider !

LE MYSTÈRE
DE LA GONDOLE
DE CRISTAL

Dès qu'elle se fut un peu calmée, je sortis de ma poche le petit BILLET que j'avais trouvé dans la gondole de cristal et le lui montrai.

– C'est toi qui as écrit cela ?

Elle sourit entre ses *larmes*.

– Je voulais écrire : « Au secours, sauvez-moi ! Je ne peux pas épouser celui que j'aime ! », puis j'ai entendu des pas et je me suis interrompue. Quelle idée idiote, n'est-ce pas ? Confier un appel au secours à une gondole de verre, comme une bouteille à la mer...

– Ce n'était pas une idée si idiote que cela. La preuve : je suis justement venu pour t'aider !

Elle soupira :

– Merci, tu es un vrai *noblerat* ! Mais je ne vois pas ce que tu pourrais faire pour m'aider… Le problème, c'est que mon beau-père ne veut pas m'autoriser à épouser mon amoureux, mon Matteo…

Elle se remit à sangloter :

– Oh, Matteo, mon cher Matteo ! Comme tu me manques…

Je lui prêtai de nouveau mon mouchoir et elle me le rendit tout TREMPÉ.

Puis elle m'expliqua :

– Mon amoureux ne sait pas travailler le verre...

Je l'interrompis :

– Où est le problème ? Si tu voyais ce que j'ai fabriqué, en bas, à l'atelier... Je pense que ton beau-père va me mettre à la porte !

– C'est probable ! C'est justement ce qui est arrivé à mon pauvre Matteo... **Snif!**

Elle allait se remettre à pleurer, mais j'intervins avant :

– Excuse-moi, mais quel est le rapport avec ton mariage ? Je ne comprends pas. Matteo ne peut pas exercer un autre métier ?

– Hélas non : mon beau-père veut que j'épouse un rongeur qui soit un grand EXPERT en verre, comme lui. **Snif!** C'est pourquoi il m'a interdit d'épouser Matteo et moi, pour protester, je me suis **ENFERMÉE** au grenier : je ne sortirai pas d'ici ou je ne m'appelle pas VÉRA DEVERRE !

J'étais indigné :

– Tu as le droit d'aimer qui tu veux ! Je ne sais pas encore comment je vais m'y prendre, mais je promets de t'aider. Toi, en échange, tu dois me promettre d'arrêter de pleurer : *je n'ai plus de mouchoirs !*
Elle éclata de rire et j'ajoutai :
– … Et promets-moi aussi que, demain, tu sortiras de cette pièce et que tu iras faire une belle promenade avec tes **amies** ! Et n'aie pas peur, ton beau-père comprendra…
Nous discutâmes toute la **NUIT**, jusqu'au lendemain matin. C'est alors que nous entendîmes un cri féroce :

OÙ ES-TU, EMPOTÉ ?! VIENS ICI, ET QUE ÇA SAUTE !

Il me parut évident que l'« empoté », c'était moi !

Pauvre de moi : je venais enfin d'élucider **LE MYSTÈRE DE LA GONDOLE DE CRISTAL**, mais mes ennuis étaient loin d'être finis... En fait, ils venaient à peine de commencer ! En effet, dès que j'entrai dans l'atelier, je fus accueilli par un hurlement sauvage :

Soufflert allait probablement me réduire en bouillie, me hacher menu et me pulvériser, mais à cet instant précis la porte s'ouvrit et un rongeur entra dans la boutique, commençant à **EXAMINER** mon informe tas de verre d'un air connaisseur.

– Quelle sculpture intéressante... Il s'agit d'une œuvre d'art moderne vraiment originale... Je l'ai remarquée tout de suite à travers la porte ouverte... Je l'achète !

Soufflert flaira aussitôt la bonne affaire et se fit payer grassement.

J'en profitai pour me faufiler au-dehors, mais il me rattrapa en H∪RL∧∩T :
– Où comptes-tu aller ?

AFFAIRE CONCLUE, EMPOTÉ !

Dès que le client fut parti, Soufflert Deverre tonna :

_ **AU BOULOOOT !** Je veux **20** autres de ces horribles sculptures modernes, compris ?

J'essayai de protester :

– Mais je...

– Il n'y a pas de « mais » qui tienne... Je viens de te réengager et tu recommences déjà te **PLAINDRE** ?

Puis il se mit à compter et à recompter les billets qu'il avait gagnés.

– Quel nigaud, débourser une pareille somme pour un **TAS** de verre informe ! Il aurait pu acheter une de mes gondoles de cristal ! Enfin, tous les goûts sont dans la nature, l'important, c'est de gagner de l'argent !

Il s'arrêta pour regarder l'étagère où étaient exposées ses médailles et ses coupes, et il se frotta les pattes d'un air satisfait.

– Avec l'argent que *TU* vas me faire gagner, je pourrai réparer ma gondole de régate ! Comme ça, je pourrai enfin REMPORTER plein de compétitions !

Mais, brusquement, il se tut et éclata en sanglots DÉSESPÉRÉS.

Oh là là !

Ouin !

Je lui tendis mon mouchoir humide *(dans cette famille, ils pleuraient tous comme des fontaines !)* et lui demandai :

– Quel est le problème ?

– Maintenant, j'ai l'argent pour réparer ma gondole, mais je n'ai plus d'ÉQUIPAGE...

Puis il désigna la photo que j'avais déjà remarquée, avec les quatre gondoliers.

– Ils travaillaient pour moi, mais je les ai tous virés : c'étaient de vrais **empotés**, surtout ce Matteo qui faisait les yeux doux à ma filleule... Comment je vais faire maintenant ? Je ferais n'importe quoi pour remporter la prochaine course !

Soudain, il me vint une idée simple mais *géniale*.

Je regardai Soufflert Deverre droit dans les yeux et dis :

– Tu ferais n'importe quoi ? Alors je m'en occupe. Je remporterai la **COURSE** pour toi et en échange tu feras ce que je te demanderai. D'accord ?

Il tâta mes biceps *(inexistants),* examina mes

épaules *(tombantes)*, puis déclara, P**ЄRPLЄ×Є** :
– Tu m'as l'air un peu **MAIGRELET** pour être gondolier… mais c'est mieux que rien !
Puis il attrapa ma patte et la broya.

_Affaire conclue, empoté !

Il avait accepté trop facilement : il y avait quelque chose qui clochait ! Je le questionnai donc :

Affaire conclue !

Aïe !

– Pardon, mais quand cette course a-t-elle lieu ?

– Le premier dimanche de septembre, c'est-à-dire exactement dans 6 jours, 15 heures, 12 minutes et 10 secondes ! **ET GARE À TOI, EMPOTÉ ! NE ME RIDICULISE PAS, SINON...**

Après ce « sinon », il marqua une pause pleine de sous-entendus et me lança un regard torve... et j'eus tellement peur que mes genoux commencèrent à s'entrechoquer !

– POURQUOI POURQUOI POURQUOI EST-CE QUE JE ME FOURRE TOUJOURS DANS LES ENNUIS ?

Je ne savais même pas comment était faite une gondole, et encore moins une gondole de régate, et en plus je ne savais pas ramer !

Mais si je remportais la course, Soufflert ferait n'importe quoi... et il autoriserait donc le *mariage* de sa filleule et de Matteo ! C'était cela, mon idée simple mais géniale pour aider Véra à réaliser son beau rêve d'**amour** !

Le problème, c'était que je n'avais aucune chance de gagner, à moins que…

… à moins que quelqu'un ne me donne un coup de patte !

Plein d'espoir, j'envoyai un SMS à mes amis de Sourisia : «Venez tous à Murano, dans la verrerie de Soufflert Deverre. C'est une urgence ! GS»

Et voilà !

TOUS À VENISE !

Le lendemain, au coucher du soleil, je sortis de la boutique pour me rendre sur le quai où était amarrée la gondole de Soufflert : elle était vieille, défraîchie, rafistolée en plusieurs endroits.

Je vis aussitôt qu'elle prenait l'eau… mais nous n'aurions pas le temps de la faire RÉPARER !
Découragé, les pieds mouillés, j'observai les autres gondoles de régate qui étaient amarrées à côté : elles étaient *belles*, COLORÉES, elles avaient des formes fuselées… Bref, je n'avais aucun espoir de remporter la course avec la coquille de noix de Soufflert !
Je me mis à sangloter, désespéré :

– POURQUOI POURQUOI POURQUOI EST-CE QUE JE ME FOURRE TOUJOURS DANS LES ENNUIS ?

– Parce que tu es un N**I**G**A**U**D**, cousin ! répondit dans mon dos une voix caractéristique.

C'était Traquenard ! Et avec lui étaient venus Téa, Patty, Benjamin et Pandora.

Téa parla au nom de tous :

– Tu n'es pas un nigaud ! Tu es un gars, *ou plutôt un rat*, exceptionnel !

– Et c'est pour cela que nous t'aimons et que nous allons t'aider ! ajouta Benjamin.

Je les embrassai, heureux : maintenant, rien ne me semblait impossible…

Je leur racontai toutes mes **AVENTURES**, leur parlai de la grande régate qui devait se courir le dimanche suivant et de mon plan pour convaincre Soufflert Deverre d'accepter le mariage de Véra et Matteo.

Patty et Téa murmurèrent :

– *Quelle histoire romantique* !

Traquenard murmura :

– Toutes ces sucreries écœurantes, ça me donne des caries aux dents !

Téa pensa aussitôt au côté sportif de la chose :

– Allez, Gerry, nous avons du pain sur la planche, il faut se mettre à l'entraînement ! Hop, hop !

Puis elle se mit à souffler dans un sifflet pour nous donner le rythme : Fiiit fiiit ! Fiiit fiiit !

Dix minutes plus tard, épuisé, rouge comme une

pivoine, je me laissai tomber à terre, et aussi-tôt Traquenard s'abattit sur moi, puis Benjamin *trébucha* à son tour et se retrouva au sommet du tas, suivi de Patty et de Pandora !

Sous cet incroyable enchevêtrement, je hurlai :

– **AU SECOURS !** Si nous continuons comme ça, nous n'arriverons jamais à concourir, dimanche prochain…

Après m'être dégagé, je dis :

– On arrête tout. La première chose à faire, c'est de se procurer une gondole de **COMPÉTITION**. Ensuite, il faut s'entraîner à ramer : ce n'est pas le marathon que nous devons courir...

– Le plus important, c'est d'avoir du souffle, Gerry ! insista Téa. On continue donc, suis le rythme ! Et si tu veux qu'on aille chercher un nouveau bateau, nous irons... au pas de course ! À vos marques, prêts, partez ! Fiiit fiiit !

Au même moment passa sur le canal une gondole JAUNE vif, dans laquelle ramait avec une grande habileté une rongeuse charmante : c'était Véra. Elle s'approcha et me dit :

– J'ai tout entendu ce matin ! J'ai compris ton plan : c'est une idée simple mais *géniale* ! Et je ferai tout pour t'aider à remporter la victoire ; comme ça, mon beau-père me donnera l'autorisation d'épouser Matteo !

Puis elle me fit un clin d'œil complice.

– Tenez, prenez ma gondole… C'est mon Matteo qui me l'a offerte, il l'a faite lui-même : c'est un excellent ᴄʜᴀʀᴘᴇɴᴛɪᴇʀ !

J'examinai la gondole : elle était vraiment très bien confectionnée ! Avant même que j'aie pu la remercier, Véra partait en courant et en disant :

– Je vais chez mes amies. Nous vous préparerons de splendides **UNIFORMES** !

J'ai compris ton plan !

Elle s'éloigna en *chantonnant* :

– Tralala tralalère l'amour triomphera… Vous serez l'équipage le plus élégant !

C'était si bon de la voir SOURIRE !

Je décidai de tout faire pour remporter la course et l'aider à réaliser son rêve d'amour…

GARE À TOI, EMPOTÉ !

À partir de cet instant précis commença une semaine CAUCHEMARDESQUE !

Durant la journée, je travaillais à la verrerie pour fabriquer des sculptures «modernes» en verre. Le soir, je m'entraînais avec ma **FAMILLE** : la course d'abord («parce que le plus important, c'est d'avoir du souffle ! » disait Téa), puis les rames ! Et la nuit ? Je rêvais que je m'entraînais, j'avais même l'impression d'entendre encore le sifflet de Téa : Fiiit fiiit ! Fiiit fiiit !

Bref, je me retrouvai bientôt avec sur les pattes les **ampoules** du verrier et les cals du gondolier, et avec un tour de reins et une tendinite du coude... Mais je devais gagner à tout prix, pour aider Véra

à réaliser son rêve d'**amour**. Ainsi, bien que je sois **EXTÉNUÉ**, je continuais à m'entraîner avec mes amis !

Hélas, au fur et à mesure que le jour de la course approchait, j'étais de plus en plus tendu, anxieux, stressé, parce que Soufflert ne cessait de me menacer toute la journée :

– GARE À TOI, EMPOTÉ ! NE ME RIDICULISE PAS, SINON...

Et après ce « sinon » il marquait toujours cette pause pleine de sous-entendus et me lançait un regard torve... et j'avais tellement peur que mes genoux s'entrechoquaient !

Heureusement, chaque fois que j'avais peur, Benjamin et Pandora s'empressaient de me réconforter :

Gare à toi !

– Courage, oncle G !
Ensemble, nous y arriverons !

Heureusement, chaque fois que me prenait l'envie de manquer l'entraînement ou même seulement de m'arrêter pour reprendre mon souffle, Téa était là avec son sifflet perfore-tympans : Fiiit fiiit !

Heureusement, chaque fois que j'étais découragé et que je pensais ne jamais y arriver, il y avait Patty pour me faire un sourire ou Traquenard pour se moquer de moi et me faire rire !

Bref, heureusement que je n'étais pas seul !

Plus le temps passait, plus notre équipage devenait fort, rapide, uni.

Nous pouvions l'emporter !

Hélas, j'étais de plus en plus tendu, anxieux, stressé, parce que Soufflert ne cessait de me menacer toute la journée...

Le jour de la **RÉGATE HISTORIQUE**, j'étais vraiment en piteux état !

Pour me distraire, j'essayai de profiter du spectacle. Il y eut d'abord une magnifique parade en costume : le **BUCENTAURE**, le bateau du doge, ouvrait le défilé, suivi d'autres navires splendidement décorés...

Quel spectacle merveilleux !

Pendant un instant, je parvins même à oublier que la course allait commencer et à me détendre...

VOICI LE BUCENTAURE !

La Régate historique de Venise

Elle se déroule chaque année, le premier dimanche de septembre. Elle comprend un cortège historique et quatre courses: à bord de Pupparini pour les jeunes gens de moins de vingt ans, à bord de Mascarete (bateaux à deux rames) pour les femmes, à bord de Caorline (bateaux à six rames) et à bord de Gondolini (course réservée aux champions des champions).

C'est alors que Soufflert cria :

– GARE À TOI, EMPOTÉ ! NE ME RIDICULISE PAS, SINON...

L'arbitre donna le départ de la course. Aussitôt, mes coéquipiers se mirent à ramer, aussi vite qu'ils le pouvaient, mais moi, j'avais les bras paralysés, j'étais complètement pétrifié par la **FROUSSE** !

Au bout de quelques minutes, nous étions déjà les derniers…

La foule ricanait :

– QUELLES NOUILLES !

TOUT EST BIEN QUI FINIT BIEN...

Tout semblait *PERDU*... puis, soudain, il se passa quelque chose d'inattendu.

Au bord du Grand Canal, il me sembla voir un chapeau à pois fuchsia, avec de gracieuses petites fleurs vertes...

C'ÉTAIT ELLE, LA RONGEUSE DE MES CAUCHEMARS !

Aussitôt, elle hurla :

— Mon beau petit biquet, je t'ai enfin retrouvé, viens ici, nous devons nous marieeeer !

Au souvenir de cette **TERRIBLE** rongeuse qui me persécutait, je retrouvai immédiatement mes **FORCES** et me mis à ramer si fort que mes bras ressemblaient aux ailes d'un moulin !

Le chroniqueur qui commentait la course s'égosillait à son micro :

– Et voici l'équipage de Soufflert Deverre qui s'envole sur sa gondole JAUNE FROMAGE... On dirait qu'il rattrape son retard... Incroyable ! Il remonte très vite, il vire à la bouée ! La foule est en délire ! Et voilà qu'il prend la tête... Assourissant ! La gondole jaune de Soufflert Deverre franchit la ligne d'arrivée !

Je ne pouvais pas y croire, nous avions GAGNÉ !

– Hourra, on a gagné ! s'écria Benjamin.

Cependant, Patty me demanda :

– Pardonne-moi, G, qui était cette rongeuse au chapeau fuchsia ? Tu la connais ? Pourquoi t'appelait-elle son biquet ?

Je rougis et bafouillai :

– Mais je ne sais pas...

Nous remontâmes tranquillement le canal pour recevoir les APPLAUDISSEMENTS de la foule, puis un haut-parleur nous invita à gagner la tribune pour la remise du prix. C'est alors que, sur l'estrade d'honneur, je vis un chapeau à pois fuchsia, avec de gracieuses petites fleurs vertes...

C'ÉTAIT ELLE, LA RONGEUSE DE MES CAUCHE-MARS !

On lui avait demandé d'être la marraine de la manifestation !

Elle me tendit le **DRAPEAU ROUGE**, récompense traditionnelle de la Régate historique, me saisit par le bras et m'imprima un bisou sur le museau, en chicotant :

– Tu ne m'échapperas pas : je dois embrasser les vainqueurs, c'est la tradition !

Finalement, je la reconnus : c'était une célèbre actrice de **Hollywood**.

Patty me dit, fâchée :

– Alors comme ça, tu ne la connais pas?…

– Je ne la connais pas, c'est elle qui me poursuit : elle s'est mis en tête qu'elle allait m'épouser !

La rongeuse au chapeau fuchsia dit à cet instant :

– Pourquoi, tu ne veux pas m'épouser, mon biquet vénitien ?

Je répondis :

– Non, je ne veux pas vous épouser, je ne sais même pas comment vous vous appelez… et puis je ne suis pas vénitien, mademoiselle ! Je viens de Sourisia, dans l'île des Souris…

Elle me regarda d'un air dépité.

– Ah… c'était vrai? Tu n'es pas de Venise… Dans ce cas, tu ne m'intéresses plus !

Puis elle se tourna vers Soufflert Deverre, le contempla, fascinée, et lui demanda :

– Et vous, cher monsieur, d'où êtes-vous?

Sans réfléchir, il répondit :

– *Mi son venexian de Venesia !* (Moi, je suis cent pour cent vénitien !)

Les yeux de la rongeuse brillèrent et elle dit :
– Alors c'est toi, le rongeur de mes rêves !
Il rougit sous ses **MOUSTACHES** noires et, galant, lui fit un baisepatte.
Soufflert Deverre était tombé amoureux en un clin d'œil... J'en profitai pour lui rappeler sa promesse :
– Euh... Excusez si je DÉRANGE votre idylle, mais

Vous permettez ?

vous aviez promis que si je gagnais vous me donneriez ce que je désirais...

Il tonna :

– C'est juste, empoté ! Une promesse est une promesse : que veux-tu ? De l'argent ? Une belle maison ? Que je te fournisse à vie des gondoles en cristal ?

Je respirai un grand coup, pris mon **COURAGE** à deux pattes et dis d'un trait :

– Non, je ne veux rien pour moi... Je veux que vous autorisiez le mariage de votre filleule avec Matteo, son **AMOUREUX**, et que vous ne l'obligiez plus à travailler le verre : c'est un excellent charpentier. C'est lui qui a **CONSTRUIT** la nouvelle gondole...

Il devint tout **rouge** et je crus qu'il allait exploser, mais il sourit et avoua :

– J'ai honte d'avoir été aussi **SÉVÈRE** avec Véra. Maintenant que je suis amoureux moi aussi, je comprends ma filleule : l'amour est une chose mer-

veilleuse et il est juste de laisser parler son cœur !
J'étais heureux, ma « mission » à Venise était termi-
née :

L'AMOUR AVAIT TRIOMPHÉ !

TABLE DES MATIÈRES

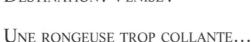

Geronimo Stilton

DANS LA MÊME COLLECTION

L'ÉCHO DU RONGEUR

1. Entrée
2. Imprimerie
   (où l'on imprime les livres et le journal)
3. Administration
4. Rédaction (où travaillent les rédacteurs,
   les maquettistes et les illustrateurs)
5. Bureau de Geronimo Stilton
6. Piste d'atterrissage pour hélicoptère

Sourisia, la ville des Souris

1. Zone industrielle de Sourisia
2. Usine de fromages
3. Aéroport
4. Télévision et radio
5. Marché aux fromages
6. Marché aux poissons
7. Hôtel de ville
8. Château de Snobinailles
9. Sept collines de Sourisia
10. Gare
11. Centre commercial
12. Cinéma
13. Gymnase
14. Salle de concerts
15. Place de la Pierre-qui-Chante
16. Théâtre Tortillon
17. Grand Hôtel
18. Hôpital
19. Jardin botanique
20. Bazar des Puces-qui-boitent
21. Maison de tante Toupie et de Benjamin
22. Musée d'Art moderne
23. Université et bibliothèque
24. La Gazette du rat
25. L'Écho du rongeur
26. Maison de Traquenard
27. Quartier de la mode
28. Restaurant du Fromage d'or
29. Centre pour la Protection de la mer et de l'environnement
30. Capitainerie du port
31. Stade
32. Terrain de golf
33. Piscine
34. Tennis
35. Parc d'attractions
36. Maison de Geronimo Stilton
37. Quartier des antiquaires
38. Librairie
39. Chantiers navals
40. Maison de Téa
41. Port
42. Phare
43. Statue de la Liberté
44. Bureau de Farfouin Scouit
45. Maison de Patty Spring
46. Maison de grand-père Honoré

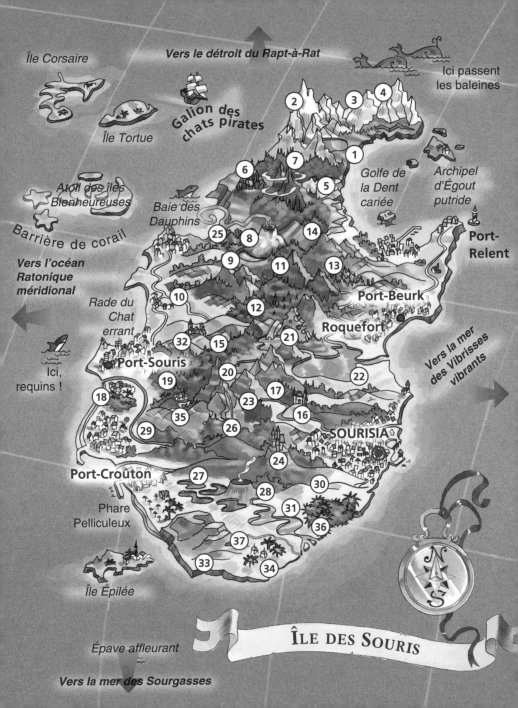

Île des Souris

1. Grand Lac de glace
2. Pic de la Fourrure gelée
3. Pic du Tienvoiladéglaçons
4. Pic du Chteracontpacequilfaifroid
5. Sourikistan
6. Transourisie
7. Pic du Vampire
8. Volcan Souricifer
9. Lac de Soufre
10. Col du Chat Las
11. Pic du Putois
12. Forêt-Obscure
13. Vallée des Vampires vaniteux
14. Pic du Frisson
15. Col de la Ligne d'Ombre
16. Castel Radin
17. Parc national pour la detense de la nature
18. Las Ratayas Marinas
19. Forêt des Fossiles
20. Lac Lac
21. Lac Lac Lac
22. Lac Laclaclac
23. Roc Beaufort
24. Château de Moustimiaou
25. Vallée des Séquoias géants
26. Fontaine de Fondue
27. Marais sulfureux
28. Geyser
29. Vallée des Rats
30. Vallée Radégoûtante
31. Marais des Moustiques
32. Castel Comté
33. Désert du Souhara
34. Oasis du Chameau crachoteur
35. Pointe Cabochon
36. Jungle-Noire
37. Rio Mosquito

Au revoir, chers amis rongeurs, et à bientôt
pour de nouvelles aventures.
Des aventures au poil, parole de Stilton, de…

Geronimo Stilton